To/Para:

_____

From/De:

_____

Date/Fecha:

_____

The Prayer That Makes God Smile

Stormie Omartian
Artwork by Shari Warren

La oración que hace sonreír a Dios

Stormie Omartian
Ilustrado por Shari Warren

HARVEST Kids

HARVEST HOUSE PUBLISHERS
EUGENE, OREGON

It's never too soon to lead a child to Jesus.

—STORMIE OMARTIAN

Nunca es demasiado pronto para dirigir a los niños a Jesús.

—STORMIE OMARTIAN

Jesus said, "Let the little children come to Me and do not forbid them."

—MATTHEW 19:14

Jesús dijo: «Dejen que los niños vengan a mí, y no se lo impidan».

—MATEO 19:14

You make God happy. That's because He loves you. God loves all little boys and girls. He loves you when you do good things, like helping others. But He also loves you even when you do things that are not so good, like forgetting to put away your toys.

God loves you when you are happy, and He loves you when you are sad. God loves you when you are sleeping, and He loves you when you are awake. There is never a time when God does not love you.

"Thank You, God, for loving me all the time."

Tú haces feliz a Dios. Y es así porque Él te ama. Dios ama a todos los niñitos y a todas las niñitas. Él te ama cuando haces cosas buenas, como ayudar a otros. Pero también te ama cuando lo que haces no es tan bueno, como cuando se te olvida recoger tus juguetes.

Dios te ama cuando te sientes feliz y Él te ama cuando te sientes triste. Dios te ama cuando estás dormido y Él te ama cuando estás despierto. No hay ningún momento en el que Dios no te ame.

«Gracias, Dios, por amarme en todo momento».

God shows His love for you by giving you good food to eat, clean water to drink, and a warm, cozy place to live. He also shows His love by giving you the rain and the sun, the flowers and the trees, and adorable animals like puppies and kittens to enjoy.

One of the most wonderful ways God shows His love for you is by giving you a family. Some families are big and some are small. Your family might have ten people in it, or it might just be a family of two. Yet every family is a gift from God. When we thank God for our families—and for all the gifts He gives us—it makes Him happy.

"Thank You, God, for my family, and for all the other gifts You give to me."

Dios muestra su amor por ti al proveerte buenos alimentos para comer, agua limpia para beber y un lugar cálido y acogedor para vivir. Él también muestra su amor dándote la lluvia y el sol, las flores y los árboles, y animales adorables como los perritos y los gatitos para que los disfrutes.

Una de las maneras más extraordinarias en las que Dios te muestra su amor es dándote una familia. Algunas familias son grandes y otras son pequeñas. Tu familia podría tener diez personas o quizás solo sea una familia de dos. Sin embargo, cada familia es un regalo de Dios. Hacemos feliz a Dios cuando le damos las gracias por nuestra familia y por todos los regalos que Él nos hace.

«Gracias, Dios, por mi familia y por todos los otros regalos que me das».

Another way God shows His love for you is by giving you His Word to read. When you read the Bible, it makes God happy. That's because the Bible teaches you how to know and obey God and how to do what is right.

God gives us rules to live by because He loves us and doesn't want us to get hurt. When you obey God's rules and do what is right, God is happy.

"Thank You, God, for giving me the Bible to read. Help me to obey Your rules."

Otra manera en la que Dios te muestra su amor es dándote su Palabra para que la leas. Cuando lees la Biblia, haces feliz a Dios. Es así porque la Biblia te enseña cómo conocer y obedecer a Dios y cómo hacer lo correcto.

Dios nos da reglas para vivir porque Él nos ama y no quiere que nada nos lastime. Cuando obedeces las reglas de Dios y haces lo correcto, Dios se siente feliz.

«Gracias, Dios, por darme la Biblia para leer. Ayúdame a obedecer tus reglas».

God loves you so much that He always listens to you when you talk to Him. Talking to God is called praying. He loves it when you talk to Him. Your prayers make God happy.

God always wants you to ask Him for the things you need. He already knows what you need, but He still wants You to talk to Him about it. That's because He loves you and wants you to spend time with Him. God is happy when you ask Him for the things you need.

Dios te ama tanto que siempre te escucha cuando le hablas. Hablar con Dios se llama orar. ¡Y a Dios le encanta cuando hablas con Él! Tus oraciones hacen feliz a Dios.

Dios quiere que siempre le pidas las cosas que necesitas. Él ya sabe lo que necesitas, pero aun así quiere que le hables de ello. Es así porque Él te ama y desea que pases tiempo con Él. Dios se alegra mucho cuando le pides lo que necesitas.

God also wants you to ask Him for the things you want. There is a difference between the things you want and the things you need.

The things you need are what you must have in order to live—like a home, clothes to wear, or something to take when you are sick that will help you get well.

The things you want are things you don't have to have in order to live, but you want them anyway—like a bicycle to ride, a fun game, or a new friend to play ball with.

Dios quiere que le pidas también las cosas que tú deseas. Existe una diferencia entre las cosas que deseas y las cosas que necesitas.

Las cosas que necesitas son aquellas que debes tener para vivir; por ejemplo: una casa, ropa para ponerte o algo para tomarte cuando estás enfermo que te ayudará a sentirte mejor.

Las cosas que deseas son aquellas que no son necesarias para vivir, pero las quieres de todas maneras; por ejemplo: una bicicleta para montar, un juego divertido o un nuevo amigo con quien jugar.

God always gives us what we need. But He doesn't always give us what we want. That's because God knows what is best for us. He gets to decide if He will give us what we want or not. And He decides when to give it to us. We can trust Him to do the right thing for us because He loves us so much.

"Thank You, God, for giving me everything I need. Thank You for giving me the things I want that are good for me."

Dios siempre nos da lo que necesitamos. Pero no siempre nos da lo que deseamos. Es así porque Dios sabe lo que es mejor para nosotros. Él decide si nos dará o no lo que deseamos. Y también decide cuándo nos lo da. Podemos confiar en que Él hará lo correcto porque nos ama mucho.

«Gracias, Dios, porque me das todo lo que necesito. Gracias porque me das las cosas que deseo que son buenas para mí».

It makes God happy to hear all of your prayers. But there is one prayer that God loves the most. And that is the prayer you pray when you ask Jesus to come into your heart. This is the prayer that makes God smile.

God loves you so much that He sent His Son, Jesus, to earth to save you. That's why He is called your Savior. He saves you from ever having to be separated from God.

A Dios le hace feliz escuchar todas tus oraciones. Pero hay una oración que es su favorita. Es la oración en la que le pides a Jesús que entre a tu corazón. Esta es la oración que hace sonreír a Dios.

Dios te ama tanto que envió a la tierra a su Hijo, Jesús, para salvarte. Por eso le llamamos Salvador. Él te salva para evitar que estés separado de Dios.

When you receive Jesus, it means that someday you will go to heaven and live with God. Jesus said that the only way to get to heaven is by receiving Him into our hearts first. We can't find the way without Jesus.

Heaven is a wonderful place. In heaven you will never get sick and you will never be hurt. In heaven there are no bad people and nothing scary ever happens. That means you won't ever be afraid or sad. In heaven, you will be happy all the time.

Recibir a Jesús quiere decir que algún día irás al cielo y vivirás con Dios. Jesús dijo que el único camino para llegar al cielo es recibiéndolo a Él en nuestro corazón. Sin Jesús, no podemos encontrar el camino.

El cielo es un lugar maravilloso. En el cielo nunca te enfermarás ni te harán daño. En el cielo no hay gente mala ni pasan cosas que te asusten. Esto significa que nunca más tendrás miedo ni te sentirás triste. En el cielo, siempre te sentirás feliz.

God wants you to be in heaven with Him one day. That's why He sent Jesus to help you get there. But Jesus doesn't just help you get to heaven. He helps you in every way here on earth.

He helps you by being with you all of the time. He helps you by listening to you and answering your prayers. Jesus helps you by giving you everything you need. He helps you by being with you when you are sick and comforting you when you get hurt. That's why Jesus is God's greatest gift to all of us.

Dios quiere que estés con Él en el cielo algún día. Por eso envió a Jesús para ayudarte a llegar allí. Pero Jesús no solo te ayuda a llegar al cielo. Él te ayuda en todas las maneras posibles aquí en la tierra.

Él te ayuda estando contigo en todo momento. Te ayuda escuchando y contestando tus oraciones. Jesús te ayuda dándote todo lo que necesitas. Él te ayuda estando contigo cuando estás enfermo y consolándote cuando te lastimas. Por eso Jesús es el mejor regalo de Dios para todos nosotros.

Jesus is the most important name in the world. Once you invite Jesus into your heart, you can call His name and He will be right there beside you.

You can't see the air, but you know it is there because you are breathing it. You can't see Jesus, but you know He is there because He has promised to be with you forever, and He never breaks His promise. Just as the air is always there keeping you alive, Jesus is always there giving you life too.

"Dear Jesus, thank You that You will always be with me."

Jesús es el nombre más importante en el mundo. Una vez que invites a Jesús a que entre en tu corazón, puedes llamarlo y Él estará a tu lado de inmediato.

No puedes ver el aire, pero sabes que está ahí porque lo estás respirando. No puedes ver a Jesús, pero sabes que está ahí porque ha prometido estar contigo para siempre y Él siempre cumple sus promesas. Tal como el aire siempre está ahí y te mantiene con vida, Jesús siempre está ahí dándote vida también.

«Querido Jesús, gracias porque siempre estarás conmigo».

When you pray to receive Jesus into your heart, you become one of God's special kids. He is your friend forever, and you can talk to Him whenever you want.

If something goes wrong, you can tell Him about it and He will help you. If you feel sad, you can share that with Him and He will help you feel happy again. And when you are having a good day, He will help you do things for other people that make them feel good too.

Cuando oras para recibir a Jesús en tu corazón, te conviertes en uno de los niños especiales de Dios. Él es tu amigo para siempre y puedes hablar con Él cuando quieras.

Si algo no anda bien, puedes contárselo y Él te ayudará. Si te sientes triste, puedes decirle y Él te ayudará a sentirte feliz otra vez. Y, cuando lo estás pasando muy bien, Él te ayudará a hacer cosas por otras personas para que también se sientan bien.

Jesus said that those who believe in Him will have their names written in a big book in heaven called the Book of Life. He said we should be very happy about that. When you receive Jesus into your heart, your name will be written in that big book too.

You get to make choices every day. You choose which toy to play with or which story to read. You choose the words you speak and many of the things you do. Receiving Jesus into your heart is also a choice you get to make. Jesus wants you to choose to receive Him. You get to decide when and where.

Jesús dijo que los nombres de aquellos que crean en Él estarán escritos en un libro grande en el cielo llamado el Libro de la Vida. Él dijo que deberíamos estar muy contentos por esto. Cuando recibas a Jesús en tu corazón, tu nombre también estará escrito en ese libro grande.

Todos los días tienes que tomar decisiones. Decides con qué juguete vas a jugar o qué cuento vas a leer. Escoges las palabras que vas a decir y muchas de las cosas que haces. Recibir a Jesús en tu corazón también es una decisión que puedes tomar. Jesús quiere que decidas recibirlo a Él. Puedes decidir cuándo y dónde hacerlo.

When you are **ready to receive Jesus** into your heart, you can say the prayer on the next page. You only have to **say it once** if you really mean it.

After you **pray this prayer,** write **your name** on the line below and put in the date. That way **you** will always remember when you said the **prayer that makes God smile.** And it will remind you that your name is written in God's **big book** in heaven.

Cuando estés listo para recibir a Jesús en tu corazón, puedes decir la oración que está en la próxima página. Si la crees realmente, solo tienes que decirla una vez.

Después que ores esta oración, escribe tu nombre en la línea que le sigue y pon la fecha. Así siempre recordarás el día en que hiciste la oración que hace sonreír a Dios. Y te recordará que tu nombre está escrito en el gran libro de Dios en el cielo.

My Prayer to Receive Jesus
Mi oración para recibir a Jesús

"Dear Jesus, I believe You are God's Son. Please come into my heart to live. Forgive me for anything I have ever done wrong. Thank You that someday I will live in heaven with You. Thank You that You love me and will always take care of me. I love You too."

«Querido Jesús, creo que eres el Hijo de Dios. Por favor, ven a vivir en mi corazón. Perdóname por todo lo que haya hecho mal. Gracias porque algún día viviré contigo en el cielo. Gracias por amarme y cuidarme siempre. Yo te amo también».

My name is/Mi nombre es

_____.

I said this prayer and meant it on this day/Oré esta

oración y la creí el día _____

and this year/del año _____.

Once you have said this prayer, you don't ever need to say it again. You can if you want to, but you don't have to because God has heard it and Jesus has come into your heart. But there is another prayer that God loves to hear you pray, and you can say it every day if you would like to. It is the prayer on the next page, and every time you pray it, it makes God happy.

Una vez que hayas orado esta oración, no necesitas decirla otra vez. Si quieres, puedes hacerlo, pero no es necesario porque ya Dios la escuchó y Jesús ya entró en tu corazón. Sin embargo, hay otra oración que a Dios le encanta escuchar y, si quieres, puedes decirla todos los días. Es la oración que está en la próxima página y, cada vez que la oras, hace feliz a Dios.

My Prayer to Tell Jesus I Love Him
Mi oración para decirle a Jesús que lo amo

"Dear Lord, thank You for saving me and protecting me. Thank You that You will always forgive me for anything I do wrong. Thank You that someday I will live forever in heaven with You. Thank You for loving me. I love You too."

«Querido Señor, gracias por salvarme y protegerme. Gracias porque siempre me perdonas cuando hago algo indebido. Gracias porque algún día viviré para siempre en el cielo contigo. Gracias por amarme. Yo también te amo».

_____

_____

_____

Make a little smiley face ☺ on the lines below this prayer every time you pray it, and you will always be reminded that God is smiling down on you.

Dibuja una carita alegre ☺ en las líneas de arriba cada vez que dices la oración y siempre recordarás que Dios se está sonriendo contigo desde el cielo.

The Bible says that every time someone receives Jesus as their Savior, God's angels in heaven are very happy. They are happy because God is happy. Happy people smile, and that makes others around them smile. If God and His angels are smiling, this must mean that the sun and the clouds and the flowers and birds and turtles and the rest of the animals are smiling too. And this means that the angels in heaven and all of God's creation on earth are smiling when you pray the prayer that makes God smile.

La Biblia dice que, cada vez que alguien recibe a Jesús como su Salvador, los ángeles de Dios en el cielo se sienten muy felices. Ellos se alegran mucho porque Dios está feliz. La gente feliz se sonríe y eso hace sonreír a la gente que está a su alrededor. Si Dios y sus ángeles se están sonriendo, esto debe significar que el sol, las nubes, las flores, los pájaros, las tortugas y el resto de los animales también se están sonriendo. Y esto quiere decir que los ángeles en el cielo y toda la creación de Dios en la tierra se sonríen cuando tú oras la oración que hace sonreír a Dios.

"Thank You, God, that You are always smiling down on me."

«Gracias, Dios, porque siempre te estás sonriendo conmigo desde el cielo».